Tytuł oryginału:
Cuentos clásicos para contar y soñar.

© Susaeta Ediciones, S.A.
© for the Polish translation by Urszula Ługowska

© for the Polish edition by Firma Księgarska
Jacek i Krzysztof Olesiejuk „Inwestycje" sp. z o.o.
05-850 Ożarów Mazowiecki, ul. Poznańska 91

[FK]

ISBN-13: 978-83-7423-625-6

Klasyczne

BAJKI
NA DOBRANOC

Kochani!

Z okazji narodzin Waszego Maleństwa,
życzymy Mu beztroskiego
           i zdrowego dzieciństwa,

a wszystkim Nam – odkrywania

nowych uroków wspólnego życia!

J.A.K. Dronyccy

                    M&M Borowiec

sierpień 2007r.

SPIS TREŚCI

Trzy prosiaczki

Były sobie raz trzy prosiaczki — trzej bracia. Żyły one spokojnie w lesie. Najbardziej pracowity z nich, Gorki, przez wiele dni budował porządny ceglany domek, a w tym czasie dwa pozostałe, Porki i Pinki, bawiły się wesoło i niczym się nie przejmowały.

Dwa leniwe
prosiaczki, Porki
i Pinki, zrobiły
sobie byle jaką
chatkę ze słomy.
Chciały jak
najprędzej
skończyć
pracę i iść
się bawić. Nie wiedziały,
że z bardzo bliska
obserwuje je wilk
i oblizuje się
ze smakiem.

Po kilku dniach, kiedy straszny wilk
przyszedł, żeby je zjeść, dwa leniwe
prosiaczki, Porki i Pinki, pobiegły
do swojej chatki ze słomy, by schronić się
przed szponami wilka, którego bardzo się
bały. Po drodze krzyczały wniebogłosy
prosząc o pomoc. Wołały z przerażeniem
swojego pracowitego braciszka – świnkę
Gorki, ale ani on, ani nikt inny nie pośpieszył
im z pomocą, bo nikt
nie słyszał ich
rozpaczliwych
krzyków.

Porki i Pinki pędzili ile sił w nogach
do swojej chatki ze słomy, a wilk był tuż, tuż
za nimi. Zdyszane świnki wbiegły do środka
i zatrzasnęły za sobą drzwi. Umierając
ze strachu, bracia padli sobie w objęcia,
a potem głośno odetchnęli z ulgą, sądząc,
że są uratowani.

Ale wilk wziął głęboki wdech w swe ogromne płuca, po czym dmuchnął z całej siły, a słomiana chatka rozleciała się w jednej chwili, wystawiając dwie bezbronne świnki na pastwę wilczych kłów. Leniwe prosiaczki przypomniały sobie beztroski czas, który straciły na zabawę, zamiast budować porządny murowany dom.

Porki i Pinki pognali zatem, by
schronić się w domku swojego brata,
zbudowanym solidnie, z cegieł i cementu,
którego nie mogło zburzyć żadne wilcze
dmuchnięcie. Podczas gdy bracia chowali się
pod stół i łóżko Gorkiego, ten przysuwał do
drzwi meble, aby mieć pewność, że wilk nie
wejdzie. Ale nie myślcie, że przebiegły wilk
poddał się łatwo. Wspiął się na dach, żeby
wejść przez komin.

14

Gorki, który podpatrzył jego niecne zamiary, postawił w kominku kocioł z wrzątkiem. Gdy więc wilk spuścił się przez komin, wpadł prosto do kotła i sparzył sobie ogon. Czmychnął czym prędzej z powrotem i już nigdy więcej nie polował na prosiaczki!

Cudowna lampa Aladyna

W dalekim kraju żył sobie biedny
chłopiec, sierota bez ojca, o imieniu
Aladyn. Pewnego dnia nieznany człowiek
powiedział mu, że jest jego wujem
i podarował mu pierścień. Potem poprosił
chłopca, by pomógł mu
odszukać starą lampę.
Aladyn miał zejść
do jaskini pełnej skarbów
i zabrać stamtąd lampę,
o którą prosił nieznajomy.

Ale kiedy Aladyn już ją miał, mag –
bo to właśnie był mag – chciał pozostawić
go samego w jaskini. Aladyn zrozumiał,
że został oszukany i odmówił wręczenia
lampy czarodziejowi. Ten, bardzo obrażony,
oddalił się uwięziwszy odważnego chłopca
w ciemnej grocie.

Aladyn niechcący potarł lampę i w tej samej
chwili pojawił się przed nim dżin,
gotów spełnić każde jego życzenie.
W pierwszej chwili Aladyn bardzo się
przestraszył, ale kiedy zobaczył,
że jest to dobry dżin, poprosił,
by zabrał go z powrotem
do domu i by zbudował
wspaniały pałac dla niego
i jego matki. Nareszcie
przestaliby wieść żywot
nędzarzy, a jego spracowana
matka miałaby odtąd
mnóstwo wygód.
Dżin spełnił to życzenie.

Pewnego dnia Aladyn ujrzał księżniczkę,
piękną córkę sułtana i natychmiast się w niej
zakochał. Nie wiedział jednak, jak zdobyć jej
rękę, ale gdy czyścił cudowną lampę, dżin
znowu się przed nim pojawił.
Uradowany Aladyn poprosił go,
by dał mu mnóstwo drogocennych
klejnotów. Potem wysłał
swoją matkę do pałacu
sułtana, by poprosiła
o rękę księżniczki,
ofiarowując wszystkie
te skarby w darze.

Sułtan odpowiedział, że
zgodzi się na ślub córki,
jeśli Aladyn zbuduje dla
narzeczonej pałac wspanialszy
niż ma on sam. Dzięki
cudownym właściwościom lampy,
Aladyn miał taki pałac w mgnieniu
oka – i młodzi pobrali się.

Pewnego dnia, kiedy Aladyna nie było
w pałacu, pojawił się mag przebrany
za handlarza starzyzną, krzycząc:
„Wymieniam stare lampy na nowe!".
Księżniczka, która o niczym nie wiedziała,
dała mu magiczną lampę, bo wydawało jej
się, że jest już stara i nie błyszczy. W tej
samej chwili mag wezwał dżina i rozkazał
mu, by sprawił, żeby pałac zniknął wraz
z księżniczką w środku. Posłuszny dżin
natychmiast to uczynił.

Kiedy Aladyn wrócił
i zobaczył, co się
stało, nie wiedział,
co począć.
Nerwowym gestem
potarł swój pierścień
podarowany mu
niegdyś
przez maga. Natychmiast
pojawił się przed nim dżin,
który oznajmił, że jest na
jego rozkazy i może go przenieść w każde
miejsce na ziemi. Aladyn poprosił, by
zaniósł go do jego dawnego pałacu. Gdy się już
tam znaleźli, Aladyn odnalazł księżniczkę i wspólnie
odzyskali lampę. Powrócili do swojego królestwa,
gdzie żyli długo
i szczęśliwie, nie
niepokojeni
przez złego
maga.

Mleczarka

Rozalka mieszkała na farmie i pomagała swojej matce doglądać jedyną krowę, którą miały.Pewnego dnia matka rzekła:
– Dzisiaj ty pójdziesz na targ, sprzedać krowie mleko. Za otrzymane pieniądze kup najlepsze rzeczy, jakie zobaczysz. Jesteś już wystarczająco duża, żeby wiedzieć, czego nam trzeba. Wierzę w ciebie.

Rozalka, uśmiechnięta
od ucha do ucha,
wyruszyła na targ
z dzbanem mleka. Pierwszy
raz miała sama je sprzedać.
Po drodze myślała, co
kupi za pieniądze, które
dostanie. Chociaż była
jeszcze mała, wiedziała
dobrze, że w domu
brakuje pieniędzy,
a nie brakuje pracy.

Codziennie razem z matką musiały zrywać
się o świcie, żeby wydoić krowę
i wyprowadzić ją na łąkę. Potem cały dzień
pracowały ciężko, na małym poletku
i w domu. Postanowiła więc w jakiś sposób
wzbogacić się i polepszyć swoje życie.
„Już wiem, co zrobię", pomyślała, „kupię
        sobie kurę, będę jej doglądać,
          kura zniesie jaja,
            wysiedzi je
            i wykluje
          się dużo
            kurczaczków".

Napotkała po drodze
pastuszka, który szedł
ze stadkiem owiec na wypas
i zdradziła mu swe plany:
– Witaj, jestem Rozalka i idę na targ
sprzedać mleko. Za otrzymane
pieniądze kupię kurę,
a jak będzie miała
kurczaki, to wymienię
je na świnię.

Tak była zachwycona tym pomysłem,
że opowiedziała o nim też wioślarzowi, który
przewoził ją przez rzekę:
– A wiesz, co potem? Jak już sprzedam
kurczaki i kupię świnię, to dam jej dobrze
jeść. Wykarmię ją jak trzeba, a jak już będzie
porządnie utuczona, to zamienię ją
na pięknego cielaczka.

Na drugim brzegu stał osiołek, któremu
dziewczynka też opowiedziała o swoich planach:
– Utuczę cielaka i będzie piękny byk.
Nawet strachowi na wróble, co stał przy
drodze, mówiła dalej:
– Wtedy
sprzedam
byka i kupię
sobie domek.

Rozalka podskoczyła z radości, myśląc
o swoim nowym domku, ale tak była
rozmarzona, że potknęła się o kamień.
W tej samej chwili dzban wyślizgnął jej
się z rąk, rozbił się i mleko wylało się
na ziemię. Co za szkoda! W jednej
chwili została bez mleka i bez
możliwości spełnienia
swoich marzeń.

Alicja
w Krainie Czarów

Pewnego letniego
popołudnia Alicja
wypoczywała w cieniu
drzewa. W tak gorący dzień
było to jedyne chłodne miejsce
w ogrodzie. Pracowała cały ranek,
potem zjadła obiad, potrzebowała
więc teraz chwili odpoczynku,
a zawsze lubiła siadać pod tym
drzewem i głaskać swojego kota.
Wtem ujrzała przechodzącego
w pośpiechu, uroczego białego
królika, który spoglądał
niespokojnie
na zegarek.

Alicja, bardzo zaciekawiona, nie mogła oprzeć się
pokusie, by go nie śledzić, weszła więc
do tej samej nory, w której zniknął królik. Nora
okazała się bardzo głęboka i Alicja poleciała
w dół. Nic się jej nie stało. Znalazła się w długim
korytarzu, a na jego końcu zobaczyła drzwiczki.
Chciała przejść przez nie, ale były za małe.

Wtedy pojawiła się myszka i zaproponowała
Alicji rozwiązanie: podsunęła jej słoiczek
z dziwną miksturą, żeby ją wypiła i zrobiła się
malutka. Dziewczynka nie zastanawiała się
długo, bez wahania wypiła miksturę i w jednej
chwili zmalała. Tak pomniejszona mogła bez
kłopotu przejść przez niewielkie drzwiczki.

Kiedy Alicja przekroczyła drzwi, znalazła się
w środku przepięknego ogrodu, gdzie grzyby
były małymi, kolorowymi domkami,
a drzewa miały okna pełne barwnych
kwiatów. W ogrodzie odbywało się właśnie
przyjęcie i Alicja została zaproszona
na herbatę.

Jeden z gości wydawał się nieco szalony.
Był to Kapelusznik, który gadał i gadał, bez
przestanku. Alicja chciała mu przerwać, żeby
dowiedzieć się, z jakiej okazji odbywa się
przyjęcie, ale że z nim nie można było ani się
porozumieć, ani jeść podwieczorku, odeszła
więc nadąsana.

Zatrzymała się
w ogrodzie
Królowej Kier,
gdzie białe róże
przemalowywano
na czerwono, bo
tak podobało się jej
królewskiej mości.
Królowa miała jednak
tak zły charakter,
że Alicja zapragnęła
zejść jej z oczu póki czas. I właśnie,
kiedy goniły ją karty
z królewskiej straży...

...Alicja połapała się, że wszystkie
te dziwactwa i szalone przygody były
tylko cudownym snem.
W rzeczywistości, siedziała
wciąż w cieniu drzewa ze swoim
kotkiem i nigdzie się nie ruszyła.
Upał i zmęczenie sprawiły,
    że niepostrzeżenie
        zasnęła.

Śpiąca Królewna

Za siedmioma górami, za siedmioma lasami, żyli sobie król i królowa, którzy byli bardzo kochani przez swoich poddanych. Czuli się z tego powodu bardzo szczęśliwi, brakowało im tylko tego, czego pragnęli całym sercem – dziecka. Pewnego dnia, gdy królowa udała się do kąpieli, ropucha obwieściła, że wkrótce spełni się jej marzenie o posiadaniu potomstwa.

Tak też się stało. Na świat przyszła śliczna
córeczka i królewska para wyprawiła
wielki bal, na który zaprosiła wszystkich
mieszkańców królestwa. Wszyscy
przynieśli prezenty, a wróżki dobrodziejki,
których było siedem, podchodziły
po kolei do kołyski, żeby ofiarować
swe dary. Obdarowały dziewczynkę
urodą, dobrocią, wdziękiem,
rozumem...

Niestety, rodzice zapomnieli zaprosić najstarszą
wróżkę. Ta, obrażona, pojawiła się w pałacu
i stanąwszy przy kołysce dziecka rzekła:
– Gdy skończysz piętnaście lat, skaleczysz się
w palec wrzecionem i będziesz spała jak nieżywa
przez sto lat!

Dziewczynka dorastała
w szczęściu, ciesząc się
darami wróżek. Gdy skończyła
piętnaście lat, król kazał spalić
wszystkie kołowrotki i wyrzucić
wszystkie wrzeciona z pałacu, żeby
się żadnym nie ukłuła. Jednak w dniu
urodzin, księżniczka, wiedziona ciekawością,
weszła na
pałacową wieżę
i zastała tam
staruszkę,
przędącą len na
kołowrotku

– Chcesz trochę poprząść? – zapytała
staruszka.
– Tak, proszę pani, mogę spróbować?
– odparła księżniczka, biorąc
wrzeciono do ręki. Wtedy księżniczka
skaleczyła się w palec i zapadła
w głęboki sen. Jedna
z dobrych wróżek
ulitowała się nad
rodzicami i swoją
magiczną mocą uśpiła
ich oraz wszystkich
mieszkańców
pałacu.

Minęło sto lat. Pałac był już całkiem ukryty
wśród pnączy i ciernistych krzewów, kiedy
przechodził tamtędy
odważny książę,
który zapragnął
dowiedzieć się, co dzieje
się w środku.
Wewnątrz panowała
złowroga cisza.
Wszyscy spali
jak zabici.
Nagle książę
ujrzał Śpiącą
Królewnę
i wydała
mu się
tak piękna,
że zakochany,
pocałował ją.

Dziewczyna zbudziła się, gdyż miłosny pocałunek
obrócił zły czar wniwecz. Wziąwszy się za ręcc,
obeszli cały pałac. Tam, którędy przechodzili,
wszystko się budziło do życia. Wkrótce odbył się
ślub księcia i Śpiącej Królewny i żyli długo
i szczęśliwie.

Ośla Skórka

Był raz sobie król, który chciał zmusić swoją córkę, żeby poślubiła głupiego księcia. Księżniczka płakała i błagała ojca, żeby tego nie robił, ale król nie zmienił zdania. Książę ten był zbyt bogaty i potężny, żeby dać mu kosza.

Zrozpaczona
księżniczka
zwróciła się po radę do wróżki – matki
chrzestnej, która mieszkała w pałacowym
ogrodzie. Wróżka poradziła jej, by przebrana
za prostą dziewczynę i odziana w oślą skórę,
uciekła z pałacu, nie wzbudzając niczyich
podejrzeń. Wróżka była tak wspaniałomyślna,
że na drogę podarowała jej swoją
czarodziejską różdżkę.

Księżniczka, przebrana tak jak kazała wróżka,
wydostała się z pałacu, tak że nikt się nie
zorientował, kim naprawdę jest.
Długo wędrowała, nim znalazła gospodę.
Poprosiła tam o kąt do spania i wyżywienie
w zamian za pracę. Wzięli ją więc do doglądania
świń i pozwolili spać przy zwierzętach
w chlewiku.

Gospoda

Gospoda

Księżniczka wykonywała najgorsze i najbardziej niewdzięczne prace w gospodarstwie. Wszyscy wołali na nią Ośla Skórka, ponieważ stale nosiła swoje przebranie. Ale gdy nadchodziła noc, dzięki czarodziejskiej różdżce, biedna księżniczka odzyskiwała swój dawny urok. Przez chwilę w swych eleganckich sukniach i cudnych klejnotach mogła czuć się tym, kim naprawdę była.

Pewnej nocy w gospodzie zatrzymał się
młody książę, który wybrał się w te okolice
na polowanie. Właśnie szedł do stajni,
by zobaczyć, jak miewa się jego koń, gdy
przez niedomknięte drzwi chlewika ujrzał
przepiękną dziewczynę.

Oczarowany jej urodą książę, zapytał o nią gospodynię, ale gdy razem poszli do chlewu, zastali tam tylko świniarkę w oślej skórze. Kiedy już wychodzili coś zamigotało w słomie, na ziemi, książę schylił się i podniósł pierścionek... Uradowany ogłosił, że poślubi dziewczynę, na którą pierścień będzie pasował. Wśród chcących spróbować szczęścia młodych panien znalazła się również, mimo że wszyscy z tego drwili, i Ośla Skórka.

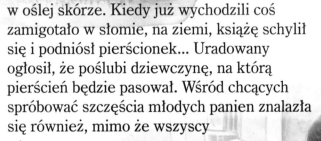

Gdy książę nałożył pierścień Oślej Skórce,
ta przemieniła się w cudowną księżniczkę,
którą była w rzeczywistości. Zdumienie
wszystkich było ogromne, książę natomiast
od razu rozpoznał w niej piękne dziewczę, które
ujrzał kilka dni wcześniej w brudnym chlewie.
W jednej chwili zakochali się w sobie wielką
miłością, wkrótce wzięli ślub i żyli długo
i szczęśliwie.

Czerwony Kapturek

Była raz sobie dziewczynka, którą nazywano Czerwonym Kapturkiem, a to dlatego, że miała czerwony kapturek, który zawsze nosiła na główce. Pewnego dnia mama poprosiła ją, by zaniosła babci słoik miodu, bułeczki i masło, gdyż babcia leży chora w łóżku.

– A w lesie strzeż się, nie zbaczaj z dróżki – ostrzegła dziewczynkę mama.

Czerwony Kapturek wziął koszyk i ruszył
posłusznie do domu babci. W lesie jednak
dziewczynka zatrzymywała się raz po
raz, zaciekawiona
różnymi
roślinami,
owadami,
aż napotkała
wilka,
głodnego

jak nigdy. Zamiast iść dalej swoją drogą,
Kapturek przystanął i zaczął rozmawiać
z wilkiem. W niezwykle chytry sposób,
wilk wywiedział się dokąd idzie Czerwony
Kapturek. Obmyślił więc plan, żeby zjeść
i babcię, i wnuczkę. Taki sobie podwieczorek
zaplanował!

Popędził wilk na przełaj, na skróty, żeby
prześcignąć Czerwonego Kapturka w drodze
do babci. Naśladując głos wnuczki, wilk
oszukał staruszkę i wszedł do jej domu.
Gdy tylko otworzyły się drzwi sypialni,
zły wilk rzucił się na babcię i pożarł ją
za jednym kłapnięciem paszczy.

Potem przebrał się w ubranie staruszki
i wskoczył do łóżka w oczekiwaniu
na dziewczynkę. Niedługo później Czerwony
Kapturek zapukał do drzwi. Wilk, udając głos
babci, zaprosił Kapturka do środka. Chociaż
głos babci wydawał
się nieco ochrypły,
nie zdziwiło to
Kapturka, bo babcia
była przecież
chora.

– Babciu, jakie masz wielkie uszy! –
zauważył jednak Czerwony Kapturek.
– Żeby cię lepiej słyszeć – odpowiedział
zły wilk.
– A jakie masz wielkie zęby!
– Żcby cię lepiej zjeść! – warknął wilk, dał
susa z łóżka i chaps, połknął dziewczynkę
tak, jak stała...

Wilk miał tak pełen brzuch, że natychmiast zasnął. Jego głośne chrapanie przyciągnęło jednak gajowego, który dobrze znał babcię i kiedy wszedł do domku, od razu domyślił się, co się stało. Gajowy szybko rozciął brzuch wilka i wyciągnął wystraszonego Czerwonego Kapturka i ledwie żywą, mocno zalęknioną babcię.

Padły
sobie w objęcia, płacząc ze
szczęścia, że nadal żyją. Babcia i wnuczka
gorąco podziękowały swemu wybawcy
i wszyscy troje zasiedli do podwieczorku.
Później Czerwony Kapturek wesoło wrócił
do domu. Nauczył się jednej rzeczy – las jest
niebezpieczny i trzeba słuchać
się mamy, kiedy ostrzega,
by nie zbaczać
z drogi.

Czekoladowa chatka

Byli raz sobie brat i siostra, którzy
nazywali się Jaś i Małgosia i mieszkali
z rodzicami koło wielkiego lasu. Rodzeństwu
było ze sobą bardzo dobrze, zawsze wspólnie
się bawili i robili wszystko razem. Pewnego
dnia postanowili wybrać się do lasu
na grzyby.

Jaś i Małgosia uwielbiali zbierać grzyby.
Zatrzymywali się przy każdym drzewie,
przystawali co krok nad każdą znalezioną
gąsienicą czy robaczkiem. Wszystko w lesie
ich interesowało.

Szli tak, zachwyceni lasem, szukając
grzybów, aż bardzo oddalili się od domu
i kiedy się zorientowali, że są daleko, nie
mogli znaleźć już powrotnej drogi.
Zapadła noc i dzieci ogromnie przestraszone,
przysiadły pod drzewem, nadsłuchując
głosów dzikich zwierząt. Nagle wśród
drzew zamigotało światło,
uradowane ruszyły więc
w jego stronę.

Dotarły do
cudownej chatki,
zbudowanej
z czekolady, marcepana
i karmelu. Gdy tylko
zobaczyły tyle pyszności,
poczuły straszny głód
i spróbowały kawałek,
żeby przekonać się,
czy rzeczywiście
chatka jest
czekoladowa.

Ach, jaka była pyszna!
Dzieci zabrały się już
na dobre do jedzenia,
gdy wyszła z niej
staruszka i zaprosiła
je do środka.
Jaś i Małgosia byli
tak zmęczeni
i głodni, że
chętnie przyjęli
zaproszenie.

Staruszka okazała się jednak złą czarownicą. Zamknęła Jasia w klatce, żeby go utuczyć i zjeść, a Małgosię zagoniła do ciężkiej pracy. Na szczęście, czarownica była

trochę ślepa i Jaś oszukiwał ją, pokazując kość zamiast swojego palca, ale w końcu sprzykrzyło się jej czekać, aż Jaś utyje i rozpaliła w piecu. Wtedy Małgosia wepchnęła ją do środka.

Podczas gdy wiedźma piekła się
w piecu, Małgosia uwolniła braciszka
i razem uciekli z czekoladowej chatki.
Pędzili z całych sił bez przystanku,
aż dobiegli do gospodarstwa, w którym
mieszkali. Rodzice powitali ich z wielką
radością, byli bowiem już bardzo
zaniepokojeni, że dzieci nie wróciły
do domu na czas.

Król Midas

G dzieś w dalekiej krainie żył sobie król,
który był bardzo skąpy i chciwy. Nigdy nie
było mu dosyć bogactwa. Pewnego dnia udał się
do potężnego czarnoksiężnika, aby ten spełnił
jego niezwykłą prośbę. Czarnoksiężnik
ostrzegł króla, żeby przemyślał dobrze
swoje życzenie, bo potem nie będzie
można je odwrócić. Król jednak nie
wahał się – chciał, by wszystko,
czego dotknie, zamieniało się
w złoto.

Czarnoksiężnik spełnił to żądanie i król cieszył się, widząc jak wciąż przybywa mu więcej i więcej skarbów. Gdy tylko dotknął jakiejś rzeczy, natychmiast zamieniała się w złoto. W kilka chwil wszystko, co było w pałacu – meble, dzbany, lampy – przeobraziło się w przedmioty ze złota.

Ale gdy stał się głodny i spragniony, i siadł
do stołu, żywność i napoje, których tknął,
również zmieniały się w złoto. Nie mógł więc
ani zjeść, ani wypić. Straszne! Co było robić?
Na domiar złego, królowi wyrosły jeszcze
ośle uszy.

Król wpadł w rozpacz, widząc, że nie może zaspokoić głodu ani pragnienia. Ktoś tak potężny jak on nie mógł nic włożyć do ust. A co się stanie, gdy jego poddani zorientują się, że ma ośle uszy? Będzie pośmiewiskiem wszystkich. Co za hańba! Nikt nie będzie go szanował ani wykonywał jego rozkazów.

Najbardziej jednak bolesne było to, że widząc go tak smutnym, jego ukochana córeczka podbiegła, by go pocieszyć. Ojciec krzyknął, aby się do niego nie zbliżała, ale dziewczynka była szybsza, dotknęła ojca i ku przerażeniu królowej matki od razu zamieniła się w złoty posąg. Co za nieszczęście! Właśnie stracił to, co kochał najbardziej na świecie.

Wszystko to widział pałacowy fryzjer.
Gdy król się zorientował, kazał fryzjerowi
przyrzec, że nikomu nie powie i że pogrzebie
hańbiącą go tajemnicę.
Fryzjer, bardzo posłuszny woli swojego pana,
poszedł do lasu, wykopał dołek w ziemi, koło
traw i szepnął do niego:
– Król ma ośle uszy!
Zawiał wiatr i trawy, kołysząc
się na wietrze powtórzyły:
„Król ma ośle uszy".
I tak, cały kraj się
o tym dowiedział.

Król, skruszony
i zhańbiony,
poprosił
czarnoksiężnika
by zdjął z niego
czar. Po wielu
próbach czarno-
księżnikowi
udało się cofnąć
czar. Córka
króla odzyskała
swój dawny wygląd, a on mógł
jak niegdyś jeść i pić. Od tego czasu był
bardzo hojny, rozdał wielką część swoich
bogactw ubogim i stał się dobrym,
kochanym przez wszystkich
królem.

Flecista z Hamelinu

Mieszkańcy bogatego miasta Hamelin byli zrozpaczeni. Plaga zuchwałych myszy wdzierała się do wszystkich domów. Bogaci i biedni, wszyscy bez wyjątku byli zagrożeni przez myszy. Nawet sam król widział, jak biegały po korytarzach pałacu.

W mieście panowała taka trwoga, że król ogłosił, iż da worek złota w nagrodę temu, kto się rozprawi z plagą myszy w mieście. Wiadomość ogłoszono na miejskim rynku królewskim dekretem. Mieszczanie przybyli, by wysłuchać obwieszczenia, ale nikt nie zaproponował żadnego rozwiązania.

Tymczasem na zamku pojawił się
pewien młodzieniec z fletem i zapewnił
króla, a także królową, że rozprawi się
ze wszystkimi myszami w mieście.
Flecista udał się na rynek i zagrał na swoim
flecie. Natychmiast z różnych kątów zaczęły
wyłazić myszy zwabione jego muzyką – była
ich niezliczona ilość. Poszły za grającym
flecistą za miasto, aż do rzeki, gdzie się
potopiły, co do jednej.

Ale gdy flecista wrócił do króla
po należną mu nagrodę, ten odmówił
mu tego, co wcześniej obiecał.
Wtedy chłopak ponownie udał
się na rynek i znowu zaczął
grać na flecie. Posłyszawszy
muzykę, wszystkie dzieci
wybiegły z domów i były
tak zachwycone, że radosne
i pełne szczęścia podążyły
wesoło za tą tajemniczą
melodią.

Rodzice próbowali je zatrzymać, wołali,
by wróciły, lecz dzieci słyszały tylko flet.
Nie przerywając grania, flecista wyszedł
z miasta i oddalił się
na bezdroża, zabierając dzieci
w nieznane im wcześniej
strony.
Miasto bez dzieci stało
się martwe.

Rozgniewani rodzice zażądali od króla spełnienia obietnicy złożonej grajkowi, bo pragnęli odzyskać swoje dzieci. Tak też król zrobił. Dostarczył fleciście obiecaną nagrodę, a ten z powrotem przyprowadził dzieci do miasta.

Ulice i domy Hamelinu znów wypełniły się radością. Wszyscy teraz byli szczęśliwi; mieli dzieci i nie gnębiły ich myszy.

A flecista – tak, jak się tajemniczo pojawił w mieście, tak samo zniknął, zabierając ze sobą należne mu wynagrodzenie.

Kura znosząca złote jajka

Była raz sobie bardzo biedna dziewczynka, która znalazła kurkę, co wpadła w jeżyny. Ptaszyna bardzo cierpiała, próbując się wydostać z kolczastych gałęzi. Dziewczynka ulitowała się nad kurą, bardzo ostrożnie wyciągnęła ją z kolczastych krzaków i zabrała do domu, żeby opatrzyć jej rany.

W domu, gdy bandażowała kurkę, pojawiła
się dobra wróżka i rzekła:
– W nagrodę za twoje dobre serce kura ta
będzie codziennie znosić złote
jajko i nigdy ci niczego nie
zabraknie.
Dziewczynka bardzo
zadziwiła się tym
niepojętym zdarzeniem
i dalej troskliwie
zajmowała się
ranną kurką.

Obietnica dobrej wróżki się spełniła.
Następnego dnia dziewczynka przekonała się,
że kura zniosła złote jajko.
Tak też stało się kolejnego dnia. Każdego ranka,
bez wyjątku, dziewczynka odbierała złote
jajo, sprzedawała je i za otrzymane pieniądze
kupowała wszystko, czego jej było trzeba.

Pewnego dnia,
dziewczynka wzięła
koszyk i poszła zbierać
jabłka w swoim sadzie.
Gdy ujrzała tam dwoje
dzieci, rwących jabłka
z jej drzew, nakrzyczała na nich
i bardzo zagniewana wygnała
je z sadu.

Teraz, kiedy powodziło jej się dobrze,
zapomniała już, co znaczy być biednym,
głodować i nic nie posiadać.
Niegdyś ona też chodziła do cudzego ogrodu
i brała, co jej wpadło w ręce, kiedy z głodu
burczało jej w brzuchu. Ale, teraz już tego
nie pamiętała.

Kiedy następnego dnia udała się po złote jajko, czekała ją niemiła niespodzianka – było tam zwykłe jajo i w dodatku sadzone.
Gdy pojęła, że była to zasłużona kara, odszukała dzieci, które przegoniła z sadu, podzieliła się z nimi jedzeniem
i podarowała
im zabawki.

Dobra wróżka powróciła, by wynagrodzić ją złotymi jajkami, żeby mogła dalej spełniać dobre uczynki. Wróżka wiedziała już, że dziewczynka ma dobre serduszko i że dostała nauczkę. Tak właśnie było. Dziewczynka nigdy więcej już nie zapomniała, że są też ludzie w potrzebie, którym trzeba pomóc, dzieląc się tym, co się ma.

Kot w butach

Pewien młynarz, który miał
trzech synów, rozdzielił między
nich swój niewielki majątek na łożu
śmierci. Najstarszemu synowi dał młyn,
średni dostał osła, a najmłodszy – kota.
Najmłodszy syn żalił się na swój los.
– Nie martw się, spraw mi tylko
buty i worek, a uczynię cię bogatym
– pocieszył
go kot.

Młodzieniec
zaśmiał się, ale
spełnił kocie życzenie.
Obuty w nowe trzewiki,
z workiem na plecach ruszył kot do lasu.
Po niedługim czasie, kot w butach upolował
kilka kaczek i zaniósł je królowi ze słowami:
– To dar dla ciebie, królu, od mego pana,
markiza Karabasza. I tak było przez kilka dni.

Pewnego dnia kot ujrzał królewską karetę
jadącą koło rzeki, kazał więc swojemu panu,
aby się rozebrał i wszedł do rzeki.
Kiedy przejeżdżała karoca króla,
kot w butach zawołał:
– Ratunku, pomocy! Markiza
Karabasza zbóje okradli z ubrania,
kiedy się kąpał!

Król kazał zatrzymać karetę
i polecił przynieść chłopakowi
szaty godne markiza. Król
obdarowany wcześniej
przez markiza
Karabasza nie domyślał
się, że biedny
chłopiec nie ma
tytułów ani bogactw.

Odziany w dostojne szaty,
chłopiec zaproszony został
do karety na wspólną
przejażdżkę z królem
i jego córką. Od razu się
w niej zakochał, a i królewnie
wydał się bardzo przystojnym
młodzieńcem.

Nieopodal mieszkał
w swoim zamku
pewien olbrzym. Kot
w butach wybrał się
do niego z zapytaniem:
– Czy to prawda,
że możesz zamienić
się w każde zwierzę,
w jakie tylko
zechcesz?
– Oczywiście
– odpowiedział
olbrzym,
zamieniając się
w straszliwego lwa.
Sprytny kot
wątpił jednak
czy uda się olbrzymowi zmienić
się w zwierzę tak małe jak mysz.
Olbrzym od razu zmienił się
w małą myszkę. Kot tylko
na to czekał. Chaps!
I po myszy.

W ten to przemyślny
sposób, zamek olbrzyma
przeszedł na własność chłopca,
a król nie sprzeciwiał się małżeństwu córki
z bogatym markizem Karabaszem.
Po śmierci króla, syn młynarza oczywiście
odziedziczył tron, i pomyśleć,
że tę niewiarygodną odmianę losu
zawdzięczał sprytnemu kotu w butach.

Guliwer w Krainie Liliputów

Guliwer był młodzieńcem, który żeglował po morzach w poszukiwaniu przygód. Pewnego razu silny sztorm roztrzaskał jego statek. Na szczęście, Guliwer uratował się i udało mu się dopłynąć do brzegu. Nie wiedział gdzie jest – znajdował się na nieznanym dla siebie lądzie.

Strudzony walką z falami,
Guliwer padł bez sił na plaży
i zasnął jak kamień. Kiedy się
obudził, ujrzał ze zdumieniem,
że bardzo małe ludziki przywiązały go linami
do ziemi, tak że nie mógł się ruszyć.
Młodzieniec starał się
je przekonać, że nie zrobi
im żadnej krzywdy,
jeśli go
uwolnią.

W końcu, mali mieszkańcy
tego dziwnego kraju postanowili zaprowadzić
go do swego króla, żeby naradzić się,
co z nim zrobić. Guliwer dowiedział się
wówczas, że znajduje się w Krainie
Liliputów i że jest to ludek spokojny,
wielce towarzyski i gościnny, tylko widząc
takiego wielkoluda wszyscy bardzo się
przestraszyli.

Guliwer zaprzyjaźnił się z Liliputami
i mimo że mieszkał w oddzielnym domu,
bo w żadnym innym by się nie zmieścił,
uczestniczył we wszystkich atrakcjach ich
wesołego miasta. Po pewnym
czasie, gdy sąsiedni kraj
wypowiedział im wojnę,
Guliwer pomógł Liliputom.
Był przecież ogromny,
złapał więc za liny
kotwiczne nieprzyjacielskie
okręty i wyprowadził je
daleko w morze.

Tam, na pełnym morzu, Guliwer powiedział
groźnie:
– Jeśli znów zaatakujecie kraj moich
przyjaciół, zrównam wasze miasta z ziemią.
Przerażony nieprzyjacielski król
obiecał, że nie wytoczy więcej
wojny przeciwko Liliputom.
Guliwer zadowolony wrócił
do Krainy Liliputów, wieszcząc
dobrą nowinę, że od tej pory
między sąsiadami zapanuje pokój.

W mieście urządzono wielką biesiadę
na cześć bohatera. Wszyscy kucharze
królestwa ledwo wystarczyli do nakarmienia
„człowieka-góry", jak go nazywano.
Guliwerowi podobało się w tej gościnnej
krainie, ale tęsknił za ojczyzną
i swoimi rodakami. Pewnego
dnia król postanowił więc
zbudować statek
dla gościa.

Kiedy nadszedł dzień powrotu,
cały lilipuci naród zebrał się,
by go pożegnać. Naprawdę
wszystkim było smutno,
że wyjeżdża. A sam Guliwer,
gdy już po długiej podróży dotarł
szczęśliwie do ojczystego
domu, nigdy nie zapomniał
tego niesamowitego kraju
i jego ludu, tak miłego
i gościnnego jakim były
Liliputy.

Ali Baba
i czterdziestu rozbójników

W dalekim kraju mieszkał Ali Baba, który był ubogim drwalem. Pewnego dnia ujrzał przejeżdżających przez las czterdziestu rozbójników z łupem. Zatrzymali się przed wielką skałą, a ich herszt zawołał donośnym głosem: – Sezamie, otwórz się!
Skała otworzyła się i wszyscy weszli do jaskini, zostawiając w niej łupy.

Kiedy odjechali, Ali Baba wyszedł ze swojej
kryjówki, powtórzył usłyszane wcześniej
zaklęcie i wszedł do groty. W środku ukazała
się jego oczom cała masa niezwykłych
skarbów. Drwal pochwycił worek złotych
monet i drogich kamieni i odszedł,
zostawiwszy wszystko jak było.

Tymczasem jego brat, Kasim, który był
bogatym kupcem, dowiedział się o znalezisku
Ali Baby. Nie mógł wyjść z podziwu, widząc
tyle złotych monet i drogich kamieni,
które pokazał mu brat. Zapragnął więc
zawładnąć wszystkimi bogactwami jaskini
i postanowił spróbować szczęścia, używając
tego samego zaklęcia.

Nie tracąc czasu, Kasim udał się do zbójeckiej pieczary z całą karawaną mułów, które zamierzał objuczyć skarbami. Jednak ujrzawszy tyle skarbów naraz, z wrażenia zapomniał zaklęcia potrzebnego, żeby wyjść.

Kiedy wrócili zbójcy, znaleźli go w środku
i zabili. Nie mogąc się doczekać powrotu
brata, Ali Baba poszedł do jaskini,
gdzie znalazł ciało swego nieszczęsnego
brata. Płacząc, z wysiłkiem wyciągnął
je i pochował.

Tymczasem rozbójnicy dowiedzieli się, że to Ali Baba odkrył ich jaskinię. Herszt bandy pojechał więc do jego domu przebrany za handlarza olejem, ze zbójcami ukrytymi w beczkach. Ali Baba kupił zaoferowany olej i kazał wstawić beczki do piwnicy. Kiedy służąca poszła nabrać oleju z beczki, usłyszała głos pytający:
– Czy już czas?
I zdając sobie sprawę z niebezpie-czeństwa, odpowiedziała:
– Jeszcze nie.

Od razu powiadomiła straż, ta natychmiast
przybyła i schwytała schowanych w beczkach
rozbójników.
Ali Baba nie zapomniał o długu wdzięczności
wobec dzielnej służącej i ani jej, ani jej
bliskim nigdy niczego nie odmówił.

Czarnoksiężnik z Krainy Oz

Pewnego dnia rozszalał się huragan i porwał Dorotkę w powietrze. Zaniósł ją i jej pieska w dalekie strony, w szczere pole. Nie wiedzieli, gdzie się znajdują. Spotkany strach na wróble powiedział:
– Czarnoksiężnik z Krainy Oz musi wiedzieć, gdzie jest wasz dom. Zaprowadzę was do niego. Ja też go potrzebuję, żeby dał mi mózg, abym był mądry.

I ruszyli poprzez las. Po drodze spotkali
człowieka z blachy. Przywitał ich
z metaliczną serdecznością, a gdy dowiedział
się, że idą do czarnoksiężnika z Krainy Oz,
postanowił wyruszyć z nimi, by poprosić
go o serce.

Nagle w lesie pojawił
się lew. Przerażeni
struchleli zc strachu. Tylko
piesek Dorotki zbliżył się
do lwa i swoim szczekaniem
oraz podskakiwaniem zdołał
go nastraszyć.

Lew przyznał się,
że jest tchórzem,
któremu nigdy nie
udało się w nikim
wzbudzić szacunku,
więc wszyscy się
z niego śmiali.

Postanowił zatem także udać się
do czarnoksiężnika, żeby uczynił go
odważnym. Ruszyli więc wszyscy razem
w drogę i wkrótce ujrzeli ogromny
zamek czarnoksiężnika z Krainy Oz.
Stał on na wysokim wzgórzu
                    i prowadziła
                        do niego
                        stroma
                    ścieżka.
                Tam też
                    skierowali
                    swe kroki.

W końcu znaleźli się przed obliczem wielkiego czarnoksiężnika z Krainy Oz. Obiecał on spełnienie wszystkich ich pragnień. Dorotka miała tylko położyć się spać – a wtedy szczęśliwie powróci do domu. Nadszedł moment rozstania i przyjaciele z wielkim żalem pożegnali się z dziewczynką. Tak bardzo chcieli, aby z nimi została!

Dorotka obudziła się w fotelu w swoim domu. U jej stóp leżał wierny piesek. Czyżby to wszystko jej się śniło?

W każdym razie było cudownie i nigdy nie zapomniała swoich przyjaciół i wspaniałego czarnoksiężnika z Krainy Oz.

Brzydkie kaczątko

Mama kaczka była bardzo uradowana,
gdyż ze skorupek jaj wykluły się cztery
kaczuszki. Czworo dzieci, które właśnie się
urodziły, głośno wołało pi, pi, domagając się
pokarmu. Wszystkie wyglądały na zdrowe,
chociaż jedno z nich w ogóle nie było
podobne do reszty rodzeństwa.

Był
to kaczorek
wielgachny
i niezgrabny, koloru
białoszarego. Ponieważ był inny niż pozostali, wszyscy
się z niego nabijali i nazywali brzydkim kaczątkiem.
Brzydkie kaczątko cierpiało tak bardzo z powodu tego
dokuczania, że pewnego dnia postanowiło wynieść się
z gospodarstwa. I wziąwszy swój tobołek pożegnało
wszystkich.

Szło długo przez las, aż tu raptem
nocka je zaskoczyła. Brzydkie
kaczątko było tak zmęczone, że już
dalej nie mogło iść. Prawie umierało
z głodu i chłodu, gdy nagle ujrzało
w oddali oświetloną norkę.
Doczłapało do niej ostatkiem sił.

Norka okazała się gościnnym
i przytulnym domem rodziny
królików. Przy kominku tata
królik czytał gazetę, a malutki
króliczek wesoło bawił się
piłką.

Słysząc pukanie do drzwi, mama
królik poszła otworzyć. Ujrzawszy
kaczątko w opłakanym stanie, króliki
ulitowały się nad nim i zaprosiły je
do środka. Dygotało całe z wycieńczenia
i zimna. Biedne brzydkie kaczątko! Mało
brakowało, a umarłoby
z wycieńczenia
w śniegu.

Kaczątko było
bardzo chore
i króliki
zajmowały się
nim całą zimę.
Kiedy zrobiła
się wiosenna
pogoda, było
już silne
i wyszło na spacer.
Wtedy to ujrzało na jeziorze
pięknego ptaka i zachwycone postanowiło
podpłynąć do niego. Ale jakże się zdumiało, gdy
zobaczyło swoje odbicie
w wodzie. Jego wygląd
bardzo się zmienił,
i teraz wyglądało
tak samo, jak
pływający
przed nim
wspaniały
ptak.

Brzydkie kaczątko okazało
się przepięknym łabędziem.
Wkrótce też zaprzyjaźniło się
z pozostałymi łabędziami
z jeziora. W końcu ożeniło się
z elegancką łabędzicą i byli bardzo
szczęśliwi i przez wszystkich
poważani. Nigdy już nie doznało
pogardy od innych i czuło się dumne
z tego, kim jest.

Królewna Śnieżka
i siedmiu krasnoludków

Była raz sobie królowa, równie piękna jak zła. Nikt nie wiedział, że jest ona czarownicą. Pytała zawsze swe zaczarowane zwierciadło, kto jest najpiękniejszą kobietą.
– Ty, moja królowo – odpowiadało lustro. Do czasu, aż jej pasierbica, Śnieżka, wyrosła i okazała się od niej piękniejsza.

To rozzłościło
złą królową. Rozkazała
służącemu zaciągnąć
Królewnę Śnieżkę
podstępem do lasu, tam
ją zabić i przynieść jej
serce. Ale on ulitował się
nad dziewczynką
i powiedział: – Ukryj się
w lesie i nigdy nie wracaj
do pałacu. Następnie
zaniósł królowej serce
upolowanego
jelenia, a ta
uwierzyła,
że to serce
jej pasierbicy.

Tymczasem Królewna Śnieżka uciekała
strwożona, zagłębiając się wciąż dalej
i dalej w ciemny las.
Nagle w oddali ujrzała mały domek
i skierowała się w jego stronę w nadziei
na schronienie, współczucie i pomoc.

W domku
mieszkało
siedmiu
krasnoludków,
którzy pracowali
w kopalni.

Gdy dziewczyna opowiedziała im swoją historię, użalili się nad jej losem. Krasnoludkom spodobało się, że Śnieżka została u nich. Mieli z kim rozmawiać po powrocie z kopalni. Mijał czas, Królewna Śnieżka i krasnoludki byli szczęśliwi, mieszkając razem w leśnym domku.

Królowa
dowiedziała się
jednak, że Śnieżka żyje. Przebrała się
za staruszkę i udała się do lasu. Odnalazłszy
dziewczynę, poczęstowała ją zatrutym
jabłkiem. Królewna Śnieżka, gdy je ugryzła,
padła jak nieżywa. Kiedy krasnoludki,
bardzo smutne, szły pochować Śnieżkę,
przejeżdżał tamtędy pewien
książę. Ujrzawszy piękną
dziewczynę w szklanej
trumnie,
zapragnął ją
pocałować.

Gdy to uczynił, jabłko wypadło z jej ust. Królewna
Śnieżka od razu się zbudziła. Krasnoludki skoczyły
z radości widząc, że Śnieżka nadal żyje. Książę
i Królewna Śnieżka zakochali się w sobie, wzięli
ślub i byli bardzo szczęśliwi. A macochę
ogarnęła taka wściekłość, że
chyba pękła ze złości, bo nigdy
więcej o niej nie słyszano.

Pinokio

Dżepetto był starym stolarzem, który czuł się bardzo samotny, ponieważ nie miał rodziny ani dzieci. Pewnego dnia wystrugał z drewna pajaca – a wyszedł mu tak dobrze, że przypominał małego chłopca. Nazwał go Pinokio.

Tej nocy,
podczas
gdy
Dżepetto
spał, dobra wróżka dała Pinokiowi życie,
żeby nagrodzić staruszka, który zawsze
chciał mieć syna. Od tej pory, drewniany
pajac mógł ruszać się i mówić, jak każdy inny
chłopiec.

Następnego ranka Dżepetto nie mógł
uwierzyć w ten cud. Cóż za radość
na stare lata!
Kiedy zatem okazało się, że Pinokio
robi to, co każdy chłopiec, majster posłał
go do szkoły, żeby się uczył. Chciał, by jego
syn daleko zaszedł w życiu.

Pinokio nie poszedł jednak
do szkoły. Po drodze spotkał innych
chłopców, którzy zawsze bawili się
na ulicy i został z nimi, żeby zabawić
się na całego. W poszukiwaniu przygody
skończyli w rękach złego człowieka, który
ich oszukał, obiecując im uciechy.
Zamienił ich bowiem
w osły, aby wykorzystać
do ciężkiej pracy.

Pojawiła się dobra wróżka i zapytała
Pinokia, co złego zrobił, że znalazł
się w takim położeniu. Pinokio
okłamał ją opowiadając o tym, co się
stało, wtedy
jego nos
zaczął
rosnąć.

Tymczasem Dżepetto
wszędzie szukał Pinokia.
Gdy nie znalazł go w mieście, wsiadł
do łodzi i wiosłując z wielkim wysiłkiem,
wypłynął na morze. Wnet znalazł się
na wprost olbrzymiego wieloryba,
który w jednej chwili otworzył
ogromną paszczę i połknął
go razem z łodzią.

Kiedy Pinokio dowiedział się od wróżki, gdzie jest Dżepetto,
zapragnął pójść mu na ratunek. Dobra wróżka uwolniła
Pinokia, a on wyruszył tratwą na morze. Dał się połknąć przez
wieloryba, ale był to jedyny sposób, żeby odnaleźć Dżepetta.
Jakże ucieszyli się, że znów są razem! Pinokio rozpalił ogień
w brzuchu wieloryba i kiedy ten
otworzył paszczę, udało im
się uciec. Wróżka zamieniła
Pinokia w prawdziwego
chłopca i odtąd byli bardzo
szczęśliwi.

Tomcio Paluch

Tomcio Paluch był najmniejszym
i najbystrzejszym z dzieci ubogiego
drwala. Pewnego dnia chłopcy wybrali się
do lasu po chrust. Podczas gdy jego
bracia skakali i bawili się, Tomcio Paluch
okruszynami chleba znaczył drogę, żeby
wiedzieć, jak wrócić do domu.

Nie zmartwił się więc, gdy okazało się,
że podczas zabawy zgubili drogę powrotną.
Okruszyny miały przecież wskazać drogę
do domu. Ptaki pozjadały jednak chleb,
i dzieci nie wiedziały, którędy mają wracać.

Szły przez las same, nie wiedząc dokąd,
gdzie je nogi poniosły. Gdy zapadła noc,
chłopcy ujrzeli światełko jakiegoś
domu i skierowali się w jego
stronę. Drzwi otworzyła im
żona olbrzyma, zaprosiła do
środka, ostrzegając ich:
– Wejdźcie, chłopcy, ale
bądźcie bardzo ostrożni,
bo jak mój mąż przyjdzie
i was zobaczy, to was zje.

Kiedy wrócił olbrzym i ujrzał dzieci
śpiące w łóżku od razu chciał je zjeść,
ale żona zdołała go przekonać, by
zrobił to następnego dnia. Jutro
będą smaczniejsze,
wypoczęte i bardziej
soczyste – taka była jej
wymówka.

Tomcio Paluch, udając, że śpi, podsłuchał
rozmowę olbrzymów i uznał, że należy
uciekać jak najszybciej.
Obmyślił plan, kiedy zauważył, że olbrzym
ma siedmiomilowe buty, w których w jednej
chwili może przemieścić się w dowolne
miejsce.

Gdy olbrzym usnął, Tomcio Paluch
obudził swoich braci, zdjął
olbrzymowi czarodziejskie
buty, założył je i wszyscy
bracia złapawszy się
za ręce szybko
czmychnęli.
Następnie,
zgodnie ze
swoim planem,
Tomcio Paluch
wybrał się
do króla
i złożył mu
w darze buty olbrzyma.
Król wiedział, jak bardzo
cenne są owe buty
i w zamian podarował
Tomciowi Paluchowi
worek złotych monet.

Gdy Tomcio Paluch wraz z braćmi wrócili
do domu, rodzice przywitali ich, szalejąc
ze szczęścia. Jeszcze bardziej ucieszyli się,
widząc przyniesione przez Tomcia złoto,
które bardzo im się przydało.

Zarozumiała myszka

B yła sobie raz myszka, która sprzątając
próg swego domu, nagle zauważyła
złotą monetę. Pierwszy raz w życiu
miała tyle pieniędzy i nie wiedziała
co z nimi zrobić. Zastanawiała
się, jak je wydać: może kupić
sobie coś do domu, a może
lepiej coś dla siebie samej,
ubranko czy coś takiego.

Po długim namyśle mysz zdecydowała się sprawić sobie jedwabną wstążkę, aby przyozdobić nią swój ogonek. Wziąwszy monetę, udała się do najelegantszego sklepiku w miasteczku. Kupiła tam przepiękną różową wstążeczkę na kokardę. Myszka była bardzo szczęśliwa, wyglądając tak ładnie w swojej jedwabnej kokardce.

Po południu siedziała sobie myszka na ganku swego domku, gdy zjawił się tam kaczor. Ujrzawszy ją tak piękną zapragnął się z nią ożenić, ale myszce nic spodobał się jego głos i dała mu kosza.

Potem przechodzili tamtędy kogut, pies i osioł. Wszyscy trzej złożyli propozycje małżeństwa uroczej myszce. Każdy z nich zaoferował to, co miał najlepszego, żeby myszka go wybrała. Starali się przekonać ją, że będzie traktowana jak królowa.

HAU! HAU!

Ale jej nie podobało się ani pianie koguta,
ani szczekanie psa, ani ryczenie osła.
Obrażona, zatkała swoje delikatne uszka
i, nie zaszczyciwszy ich nawet spojrzeniem,
wszystkich trzech wygoniła. Uważała,
że jest tak piękna, że zasługuje
na lepszego kandydata na męża.

Zjawił się
więc kot
ze swymi
eleganckimi
manierami,
który wyznał
miłość słodkim
miauczeniem.
Myszka od razu
zakochała się
w tym zalotniku, jakże
wytwornym i przymilnym.
Wkrótce potem myszka i kot
się pobrali, i w dzień ślubu
wszyscy zgodnie twierdzili,
że bardzo udana z nich para.
Widać było, że myszka
jest szczęśliwa
i bardzo
zakochana.

Kiedy jednak zostali sami w domu, kot zaczął
robić to, co robią wszystkie koty – łowić
myszy. Zatrwożona i smutna myszka rzuciła
się do ucieczki po całym domu i udało jej się
wyrwać z kocich pazurów... na całe szczęście!
Odtąd nie była już
tak zarozumiałą
myszką.

Kopciuszek

K opciuszek był piękną dziewczyną
o wielkim sercu, która mieszkała
ze złą macochą i dwiema przyrodnimi
siostrami. Były dla niej okropne, traktowały
ją jak służącą. Biedne dziewczę musiało
wykonywać wszystkie prace
domowe i nie miało
nawet pojęcia,
jak to jest, mieć
nowe ubranie.

Pewnego dnia, król wyprawił w pałacu bal,
na który zaprosił wszystkie panny
z królestwa, żeby książę mógł wybrać
sobie żonę. Kopciuszkowi nie pozwolono iść
na bal, więc bardzo smutny został w domu,
pracując jak rozkazała macocha.

Zjawiła się wtedy wróżka – matka chrzestna
i swoją czarodziejską różdżką zamieniła
dynię w przepiękną karocę, szczury w rącze
konie, a stare łachy Kopciuszka –

w drogocenną suknię.
– Baw się dobrze,
Kopciuszku – powiedziała
wróżka – ale musisz
wrócić do domu przed
północą, bo o tej godzinie wszystko
z powrotem będzie jak wcześniej.

Kiedy Kopciuszek przybył na bal,
książę zakochał się w nim
od pierwszego wejrzenia
i tańczyli razem przez
cały wieczór. Kopciuszek
pierwszy raz w swoim
życiu poczuł się
szczęśliwy.

Wszyscy podziwiali piękną nieznajomą,
nawet macocha i przyrodnie siostry,
które jej nie rozpoznały.
– Jaka piękna para! – zachwycali się goście
i cieszyli oczy widokiem ślicznie tańczącej
pary. – Są dla siebie stworzeni – mówiono
wokół.

Jednak z wybiciem
dwunastej,
Kopciuszek przypomniał
sobie, że o tej godzinie czar
pryska i uciekł z ramion księcia
w takim popłochu, że zgubił na schodach pałacu
jeden ze swych pięknych pantofelków.
Książę przymierzał pantofelek wszystkim
panienkom w królestwie,
ale na żadną
nie pasował.
W końcu, mimo
sprzeciwu
wszystkich
domowników,
założył go także
Kopciuszek.

W tej chwili, wróżka – matka chrzestna
przebrała dziewczynę we wspaniałą suknię
i wszyscy rozpoznali piękną pannę z balu.
Macocha i przyrodnie siostry padły na
kolana, by przebłagać Kopciuszka za złe
traktowanie. Ponieważ dziewczyna miała
dobre serce, oczywiście wybaczyła im.
Książę i Kopciuszek wzięli ślub i żyli
    długo i szczęśliwie.

Odważny krawczyk

Był raz sobie pewien krawczyk, bardzo pracowity i mądry. Pewnego letniego dnia, gdy szył ubranie siedząc przy oknie, nadleciała chmara much, zwabiona zapachem miodu ze słoika, który stał na stole.

Krawczyk dosyć już miał much. Zabił
ich siedem za jednym zamachem i, dumny
ze swojego wyczynu, wyhaftował sobie napis
na pasku wielkimi literami: „Zabiłem siedem
za jednym zamachem".
Wielu ludzi przeczytało napis na jego pasku
i szybko rozeszła się wieść o śmiałku,
co to sam zabił siedmiu.

Wieść dotarła do królewskich uszu, król
zawezwał więc krawczyka do siebie.
W okolicy bowiem grasowało dwóch
okrutnych olbrzymów, którzy swymi
wybrykami zastraszyli całą ludność. Król
zlecił więc krawczykowi zabicie wielkoludów.
– Jeśli z nimi skończysz, dam ci rękę mojej
córki i połowę królestwa – obiecał.

Krawczyk zdobył się na odwagę
i wyruszył na poszukiwanie olbrzymów.
Niedługo po opuszczeniu zamku,
znalazł ich smacznie śpiących
pod drzewem w przydrożnym zagajniku.
Jako że krawczyk był niezwykle sprytny,
obmyślił znakomity plan. Nazbierał
kamyków, wspiął się na drzewo i zaczął
ciskać nimi w olbrzymów.

Deszcz kamyków
wkrótce zbudził
wielkoludów.
Od razu
zaczęli się bić,
oskarżając jeden
drugiego o rzucanie
kamieniami. Obaj
zadali sobie tyle
ciosów, że po
jakimś czasie
padli na ziemię
bez życia. Krawczyk zaś zlazł
z drzewa i udał się
do króla, aby oświadczyć mu,
że pokonał olbrzymów.
Król, zachwycony
jego odwagą,
spełnił swoją
obietnicę.

Cały lud był szczęśliwy,
że został uwolniony od
wielkoludów. Krawczyka
uznano za prawdziwego bohatera,
a jego ślub z córką króla był
największą uroczystością,
jaką kiedykolwiek
obchodzono w tym
królestwie.
Wszyscy cieszyli się ich
szczęściem.

Sindbad Żeglarz

B ył sobie raz pewien żeglarz zwany
Sindbadem, który podróżował
po Dalekim Wschodzie, aż pewnego razu
burza zatopiła jego statck. Był jedynym,
który uratował się z katastrofy,
a to dzięki tcmu, że chwycił się
pływającego na powierzchni wody
kawałka pokładu statku.

Tak dotarł
do samotnej
wyspy i zwiedzając
ją, znalazł dziwne,
wielkie jajo.
Ponieważ był głodny,
zamierzał je wziąć
i zjeść, ale kiedy
sięgał po jajo nad jego
głową rozległ się wielki hałas.
Był to ogromny, straszliwy ptak, który
porwał Sindbada w swoje szpony
i wzbił się z nim
w przestworza,
żeby odciągnąć
go od swojego
gniazda.

Ptak porzucił młodzieńca w głębokiej dolinie,
pełnej wielkich, drogocennych kamieni.
Sindbada poraził blask diamentów, rubinów
i szmaragdów, za chwilę jednak dostrzegł
pełzające między kamieniami olbrzymie
węże, które z pewnością strzegły tych
niezliczonych skarbów.

Przerażony Sindbad,
zdołał wziąć
zaledwie jeden
diament
i czym prędzej
chwycił nogę
odlatującego
ptaka, który
zaniósł
go na
pobliskie
wzgórze.
Wkrótce cały i zdrowy powrócił
na brzeg wyspy, ale dużo czasu
upłynęło, zanim doczekał się
chwili, kiedy przepływał
tamtędy jakiś statek.
Sindbad, machając
rękami, dawał sygnały
i w końcu zdołał
wezwać pomoc.

Gdy wsiadł na statek, opowiedział
marynarzom o swojej niezwykłej przygodzie
na wyspie, ale oni mu nie uwierzyli. Musiał
pokazać im diament z doliny węży, żeby
w końcu przekonali się, że mówi prawdę.
Dzięki temu diamentowi, Sindbad powrócił
do swojego kraju jako bogacz.